日本共産党第28回大会
第4回中央委員会総会

目次

第4回中央委員会総会

志位委員長の幹部会報告

2021年11月27日

中央役員のみなさん、全国の同志のみなさん、おはようございます。

私は、幹部会を代表して、第4回中央委員会総会への報告を行います。

まず、冒頭に、今回の総選挙で、日本共産党を支持してくださった有権者のみなさん、大奮闘していただいた支持者、後援会員・サポーター、党員のみなさんに、心からの感謝を申し上げます。本当にありがとうございました。

たたかいの先頭に立ったすべての比例代表と小選挙区の候補者のみなさんに、熱い敬意と連帯のメッセージを送ります。本当にお疲れさまでした。

第4回中央委員会総会の任務は、総選挙のたたかいから総括と教訓を引き出し、それを土台に、7カ月後に迫った参議院選挙で勝利・躍進する方針を決定することにあります。

一、総選挙の総括と教訓について

まず総選挙の総括と教訓について報告します。

（1）総選挙の結果について

日本共産党は、総選挙で、第28回党大会決定、第2回および第3回中央委員会総会決定で確認した二つの目標達成のために全力をあげました。

第一の目標は、市民と野党の共闘の力で、政権交代を実現し、新しい政権——野党連合政権をつくることです。総選挙の結果、自公政権の継続を許したことは残念ですが、市民と野党の共闘は、今後の課題を残しつつも、確かな成果をあげました。

第二の目標は、日本共産党の躍

進を実現することです。沖縄1区で宝の議席を守り抜いたことは大きな成果ですが、比例代表では、11議席から9議席、440万票から416万票に後退するという、たいへんに悔しく残念な結果となりました。

全国のみなさんの大奮闘、国民のみなさんのご期待を、結果に結び付けることができなかったことについて、常任幹部会として責任を痛感しています。

総選挙後、全国の都道府県委員長、地区委員長、比例代表と小選挙区の候補者のみなさんから「総選挙をたたかってのアンケート」を寄せていただきました。党内外から寄せられたご意見を踏まえ、総括を行い、次につながる教訓を引き出したいと思います。

(2)どんな選挙だったか——〝政治対決の弁証法〟の角度からとらえる

選挙戦の総括の前提として、今回の総選挙はどんな選挙だったかを、支配勢力——自民・公明とその補完勢力と、野党共闘・日本共産党との攻防のプロセス——〝政治対決の弁証法〟という角度からとらえることが重要だと考えます。この角度からとらえる場合に、3点ほど大切なポイントがあります。

「野党共闘で政権交代を」——最初のチャレンジとして歴史的意義

第一に、今回の総選挙で、野党は初めて本格的な共闘の態勢——共通政策、政権協力、選挙協力で合意をつくって総選挙にのぞみました。日本共産党は、一連の合意を踏まえ、「野党共闘で政権交代をはじめよう」と力いっぱい訴えました。

9年間に及ぶ安倍・菅政権とそれを継承する岸田政権によって、わが国の立憲主義・民主主義・平和主義が根底から危うくされ、新型コロナ対応の失敗で多くの人々の命と暮らしが損なわれています。こうしたもとで、野党が政権交代を正面から訴えることは当然の責任であり、私は、この訴えは、自公政治からの転換を求める多くの国民の願いにこたえるものだったと確信するものであります。実際に、選挙戦の序盤、メディアは「総選挙の争点は自公政権継続か、政権交代か」、「自公VS野党共闘」と報じ、私たちの訴えは総選挙の客観的争点となっていきました。

都道府県・地区・候補者からのアンケートでも、政権交代への歴史的挑戦の訴えを行ったことは良かったという感想が、共通して語られています。「野党共闘で政権交代をはじめよう」という訴えは、最初のチャレンジとして歴史的意義をもつものだったということを、まずみんなで確認したいと思います。

野党共闘と日本共産党が、支配勢力に攻め込み、追い詰めた選挙になった

第二に、こうした展開は、支配勢力――自公と補完勢力から見れば、心底恐ろしい展開となりました。野党共闘によって、多くの候補者が小選挙区で敗北する危険が生まれただけではありません。彼らにとって最悪の場合には、日本の歴史でも初めて、日本共産党が協力する政権が生まれることになるからです。

野党4党が市民連合と合意した20項目の共通政策は、その一つひとつが自公政治のゆがみに根本からメスを入れる重要な内容となっています。この共通政策を、「限定的な閣外からの協力」という形態であっても、日本共産党が協力して実行する政権が生まれたら、これまでの政治を根本から変える巨大な一歩となり、支配体制を土台から揺るがすことになります。今回の総選挙は、野党共闘の力、日本共産党の奮闘によって、ここまで支配勢力に攻め込み、追い詰めた選挙となったのであります。

危機感にかられた支配勢力による激しい共闘攻撃、共産党攻撃が行われた

第三に、こうしたもと、危機感にかられた支配勢力――自公と補完勢力は、一部メディアも総動員し、必死の野党共闘攻撃、日本共産党攻撃を行いました。

それがいかに激しいものであったかは、総選挙後、とくに全国の地区委員長から寄せられたアンケートで生々しく報告されました。

日本共産党が日米安保条約廃棄、自衛隊違憲などの主張をしていることをとりあげて、「安保・外交政策が違う政党が組むのは野合」といった攻撃が吹き荒れました。「（自公の）自由民主主義政権か、共産主義（が参加する）政権かの体制選択選挙」といった選挙戦の性格を根本からねじ曲げる攻撃が大々的に行われました。

今回の総選挙で行われた共闘攻撃、共産党攻撃は、歴史上初めて日本共産党も加わる政権がつくられる可能性が生まれるという新たなステージでの攻撃という、これまでにない特徴をもっていました。

そのなかでは、「立憲共産党」といった公党を侮辱するレッテル貼りの攻撃も行われました。さらに、わが党が「天皇制は憲法違反」と言っているなどという荒唐《こうとう》無稽《むけい》なデマ攻撃が、与党党首から行われ、わが党は厳しく抗議し撤回を求めましたが、最後まで反省がなかったことは、選挙を汚すものとなりました。

このように支配勢力が今回の総選挙で基本戦略においたのは、野党共闘の推進力として奮闘している日本共産党に攻撃を集中することで、共闘を分断し、破壊することでした。こうした攻撃は、公示前から始まっていましたが、公示後の10月21日、自民党の甘利幹事長、遠藤選挙対策委員長の連名で「情勢緊迫――一票一票の獲得に全力を!!」と訴える緊急指示（急告）が出され、とくに選挙戦の中盤から終盤にかけて、集中的な攻撃が行われました。攻撃は、文書だけでなく、多くの場合、候補者を先頭に街頭演説などの形で大規模に行われました。また、それを無批判に報じたメディアによって拡散されました。

今回の総選挙を総括するさいに、野党共闘と日本共産党が、支配勢力に攻め込み、追い詰めるなかで、相手も必死の反撃で応える

――〝政治対決の弁証法〟の角度から、選挙結果をとらえ、私たちの活動を検証し、今後の教訓を引き出すことが重要であります。

（3）市民と野党の共闘――重要な成果とともに、課題も明確になった

市民と野党の共闘がかちとった重要な成果と日本共産党の貢献

まず市民と野党の共闘はどうだったか。

支配勢力の激しい攻撃にもかかわらず、市民と野党の共闘は、重要な成果をかちとったことを、まず強調したいと思います。

「共闘勢力」で一本化した59選挙区で勝利し、自民党の重鎮や有力政治家を落選させました。33選挙区で自民党候補を僅差まで追い上げました。勝利した59選挙区のうち56選挙区で、「共闘勢力」の比例得票の合計を小選挙区候補の得票が上回る「共闘効果」が発揮されました。これらの事実は、野党がバラバラにたたかっていたら自民党の圧勝を許したことを示しています。共闘がさらに力あるものとなっていたら、まったく異なった結果が生まれていたことも明らかであります。

この4年間の政党間の力関係の変化を見ても、前向きの変化が起こったことが確認できます。11月10日の党国会議員団総会で明らかにしたように、4年前の総選挙と今回の総選挙を比較しますと、「与党勢力」は、比例得票を１５０万票増やしましたが、野党共闘の力で議席を19減らしました。「与党の補完勢力」は、維新の会が勢力を伸ばしましたが、4年前の希望の党と維新の会の合計との比較では、比例得票で５０１万票減らし、議席も20減らしました。一方、「共闘勢力」は、比例得票で２４６万票増やし、議席も42増やしています。わが党が減らしたことは残念ですが、全体で増やしたことを過小評価すべきではありません。そこにはこの4年間、市民と野党の共闘が、さまざまな困難や逆流をのりこえながら、共闘の努力を積み重ねてきたことの確かな成果が示されています。歴史は決して無駄に流れていません。そのことへの大局的な確信をもって進もうではありませんか。

そして、こうした共闘の前進に、多くの市民のみなさんの努力とともに、日本共産党が貢献したことを特記しておきたいと思います。わが党は、市民と野党の共闘の道に踏み出した２０１５年9月以来、一貫して、ブレずに、誠実に、粘り強く、共闘の発展のために力をつくしてきました。

今度の総選挙でも、小選挙区の候補者の擁立を１０５人にしぼり、共闘の勝利に貢献しました。少なくない同志たちが、早くから立候補を表明し、予定候補者として奮闘しながら、共闘の大局にたって立候補を取りさげ、共闘勝利と党躍進のために奮闘しました。候補者を擁立してたたかった選挙区では、大局的に共闘の立場にたちつつ、自らの勝利と比例代表での前進のために力をつくす奮闘が行われました。そして、全国各地で、わが党の支部と党員のみなさんが、草の根で、一本化した候補者の勝利のために、さまざまな制約や妨害にも屈せずに、粘り強く献身的に奮闘しました。

これらは、党綱領に統一戦線によって社会変革を進めることを掲げた日本共産党ならではの先駆的たたかいと言えるのではないでしょうか。そのすべてに対して、幹部会として心からの敬意と感謝を申し上げるものです。

野党共闘の成果が、支配勢力の激しい攻撃をはねかえしてのものであることは、とりわけ意義深いものがあります。総選挙後、支配

勢力や一部メディアが喧伝《けんでん》している「野党共闘は失敗」という大キャンペーンは、事実にまったく反するデマ攻撃であることを、私は、きっぱりとのべておきたいと思います。共闘の発展・強化こそ求められていることを、心から訴えるものであります。

どのように共闘の発展をはかるか——前向きの解決がはかられるべき課題

それでは、どのように野党共闘の発展・強化をはかるべきか。総選挙のたたかいをつうじて、今後、前向きの解決がはかられるべき課題も明確になりました。

野党が力をあわせて、共通政策、政権協力の合意という共闘の大義、共闘によって生まれうる新しい政治の魅力を、さまざまな攻撃を打ち破って広い国民に伝えきる点で、十分とはいえませんでした。共通政策、政権協力の合意は、国民の利益にかなった新しい政治の姿を、責任をもって示したものであり、大義もあれば魅力もあるものでした。わが党は、それを国民に伝えるために力をつくしましたが、なお十分だったとはいえません。同時に、共闘の大義と魅力は、共闘に参加した野党が力をあわせ、声をあわせ、肩をならべて訴えてこそ、国民の心に響く力をもちます。その点では、弱点を残したことも事実でした。

とくに、自公と補完勢力による激しい共闘攻撃に対して、野党が力をあわせて、共同の反撃の論陣を張るまでには至らなかったことは、大きな弱点でした。それはとくに、選挙戦の終盤に共闘の勢いが一部で失速したことにつながりました。

また、共闘の大義、魅力を、支配勢力の攻撃を打ち破って、広い国民に伝えるには、どうしても一定の期間が必要です。共闘態勢の構築が選挙間際まで遅れたことは、大きな反省点であります。

3中総では、本気の共闘に発展させるうえで、共闘に参加する政党の「対等平等」「相互尊重」を貫くことを訴えました。この姿勢を貫いてこそ、共闘は深いところから力を発揮し、発展することができます。この点で、心が通う気持ちのよい共闘関係がつくられた地域も少なくありませんが、そこまで至らなかった地域も多く残されました。

共闘の大義・魅力を伝えきれなかったことが、自公の補完勢力＝日本維新の会の伸長という事態を招いた一因となりました。維新に対する事実にもとづいた適切な批判を強めることは必要ですが、こうした流れを克服する最大の力は、自公政治を転換する新しい政治の姿を、野党共闘と日本共産党が責任をもって広い国民に示すことにあることを強調したいと思います。

野党共闘の大道を前進させるために、今後も揺るがずに力をつくす

多くの解決すべき課題が残されましたが、逆に、それは市民と野党の共闘は、始まったばかりであり、共闘には大きな発展の可能性があることを示すものではないでしょうか。

いまの選挙制度のもとで政治を変える道は共闘しかありません。総選挙に向けて野党各党がかわした共通政策および日本共産党と立憲民主党の党首会談での政権協力の合意は、公党間の合意であり、それを掲げて総選挙をたたかった以上、国民への公約であります。日本共産党は、この合意と公約を誠実に順守し、野党共闘の大道を前進させるために、今後も揺るがずに力をつくすことを表明するものであります。

ともにたたかった他の野党のみなさん、市民のみなさんに心から呼びかけます。共闘がどんな成果をあげたか、どういう問題点を克服すべきか、国民から見て魅力もあれば信頼もされる共闘へとどう発展させるかについて、胸襟《きょうきん》を開いて話し合い、知恵と力を合わ

せてこの道をさらに前進させようではありませんか。

（４）日本共産党の結果――なぜ比例後退という残念な結果となったか

沖縄1区――「オール沖縄」の底力を示した画期的な勝利

次に、日本共産党の結果はどうだったか。

小選挙区では、沖縄1区で赤嶺政賢候補が、得票数、得票率ともに伸ばして、3回連続の勝利をかちとり、「宝の議席」を守り抜きました。辺野古《へのこ》新基地を許さない県民の断固たる意志と、それに支えられた「オール沖縄」の底力を示した、画期的な勝利となりました。みんなでこの勝利を喜びたいと思います。

小選挙区では、全国で１０５人の公認候補が奮闘し、うちわが党の候補者で一本化してたたかった選挙区が36あり、福島5区、長野4区、京都1区は30％以上を獲得し、議席獲得への地歩を築きました。

政策的訴えは共感を広げた――気候危機打開とジェンダー平等について

比例代表選挙で後退したことは、たいへんに悔しく残念な結果でした。

女性議員の比率を高めるための努力を行いましたが、比例代表選挙での全体の後退にともなって比率を高めることができず、衆議院の女性議員の比率が25％から20％に下がったことは残念です。女性議員の比率を高めるために、いっそうの努力を行っていきたいと決意しています。

選挙戦でのわが党の政策的な訴え――コロナから命と暮らしを守る政策的提案、自公政治からの「四つのチェンジ」――新自由主義の転換、気候危機打開、ジェンダー平等、9条を生かした平和外交は、全体として、国民の利益にかない、訴えが届いたところでは大きな共感を広げました。この点は、都道府県・地区・候補者のみなさんから寄せられたアンケートでも、共通して強い確信が語られています。総選挙で掲げた公約の全面実践のために、全力をつくそうではありませんか。

とくにわが党が、暮らしの問題、平和の問題とともに、気候危機打開、ジェンダー平等という世界と日本の新しい大問題を、選挙戦の大きな争点に位置づけて訴えぬいたことが、これらの問題を総選挙の大争点に押し上げ、若い方々をはじめ国民の新鮮な共感を広げたことは、たいへんに重要であります。

私自身も、最終盤の訴えを終えたあと、高校2年生の女性が、「共産党の政策が好きです」と握手を求めてきました。「どこが好きなんですか」と尋ねますと、「一番の老舗の党なのに、気候危機とジェンダーという最先端の主張をしている」という答えが返ってきました。「一番の老舗《しにせ》なのに最先端の主張」との共感の声が若い方から寄せられたことはうれしいことでした。同様のさまざまな共感の声が寄せられたことが、全国から共通して報告されています。気候危機打開、ジェンダー平等のとりくみを、総選挙での訴えにとどまらず、今後も大いに発展させようではありませんか。

支配勢力の必死の攻撃に対して、それを上回る必死さで反撃する点で弱点があった

それではなぜ残念な結果になったか。

都道府県・地区からのアンケートを見ますと、「伸びると思っていたのになぜ」という声がたいへん

ん多く寄せられています。メディアでも、選挙戦の序盤から中盤ぐらいまでは、日本共産党が伸びるという見方で共通していました。それらは一定の根拠があるものでした。ところが選挙戦の終盤――最後の1週間にわが党の政治的勢いの失速が起こりました。さまざまな要因が考えられますが、次の3点を反省点としたいと思います。

第一は、支配勢力が行った必死の共闘攻撃、日本共産党攻撃に対して、それを上回る必死さで反撃するという点で、弱点があったということです。

すでにのべたように、支配勢力――自公と補完勢力の基本戦略は、野党共闘の推進力として奮闘している日本共産党に攻撃を集中することで、共闘を分断し、破壊することでした。それは野党共闘全体にも一定のダメージをあたえましたが、そのダメージを最も深刻に被ったのは共闘の推進力を担った日本共産党でした。それは選挙戦のとくに終盤に、「比例は日本共産党」という流れを止める力となって作用しました。

問題は、こうした事態が起こったさいのわが党の対応にあります。こうした攻撃に対し、わが党は、テレビ討論会などの場で、また反共反撃ビラの配布など、反撃を行いました。こうした攻撃がとくに集中的に行われたのが、小選挙区で激しく自民党などと議席を争った立憲民主党候補者で一本化した選挙区であり、これらの選挙区ではわが党は候補者がおらず、反撃のすべが制約されたという事情もありました。そうした事情を考慮しても、わが党の反撃は、全体として、質量ともに不十分でした。

とくに相手の攻撃の全体像、それがもたらしている否定的影響を、迅速かつ正確に把握し、「情勢判断の四つの基準」にそくして的確な情勢判断を行い、攻撃にかみあった攻勢的反撃を行うことが十分にできませんでした。最終盤のせめぎあいで、相手の必死さに、わが党の必死さが、後れをとりました。

反共攻撃への反撃の弱さの責任は、こうした〝政治対決の弁証法〟において、状況を的確に把握し、断固たる指導的イニシアチブを発揮できなかった常任幹部会にあります。このことを厳しい反省点としたいと思います。

早い段階、公示日までに、党躍進の力強い流れをつくりだすことに成功しなかった

第二は、新型コロナの感染拡大という特別の困難のもとで全党の奮闘が行われましたが、早い段階、とくに選挙戦公示日までに、日本共産党躍進の力強い流れをつくりだすことに成功しなかったことです。

9月8日に開催した第3回中央委員会総会では、「総選挙で日本共産党の躍進を勝ち取るためには、有権者のかなりの部分が期日前投票を行うこと、初めて本格的に共闘でたたかう総選挙であることを考えますと、公示日までの取り組みが決定的に重要となってきます。公示日までに、日本共産党躍進の力強い流れをつくりだせるかどうかに、選挙戦の勝敗がかかっていると言っても過言ではありません」と訴え、「総選挙必勝大作戦」を呼びかけました。

10月6日に開催した「総選挙勝利オンライン全国総決起集会」では、活動のテンポと規模を一気に引き上げ、公示日までに「総選挙必勝大作戦」の諸課題を掛け値なしにやりとげることを呼びかけました。

全国の多くの党組織が、これらの呼びかけにこたえて大奮闘しました。ただ、全党的な到達点としては、党躍進の力強い流れをつくりだせないままに、公示日を迎えたというのが実態でした。全国の多くの県・地区からのアンケートでは、「選挙戦の本番にならないと本気にならない」、「『比例を軸

に』が実践的に貫かれなかった」、「共闘の様子見が払しょくできなかった」などの状況があったことも、率直に報告されています。

そのなかでも、今後に生かすべき貴重な奮闘も記録されています。東京では、16の小選挙区で党公認候補の擁立を見送りながら、比例得票と得票率を前進させています。東京からは、その教訓について、全国の支援を受けた都議選の勝利、共闘を発展させる努力の積み重ねとあわせて、公示前に党の風を吹かせる宣伝を特別に重視したことが報告されています。６００万の東京比例リーフを作成し、宣伝でも、「折り入って作戦」でも立体的に活用しました。声の宣伝は公示までに前回の１・３倍の勢いをつくって本番に入りました。これらが前進に結び付いたとの報告であります。

市民と野党の共闘の道を進む以上、今後も、一定の選挙区で党の候補者を擁立せずにたたかいながら、比例代表での躍進をめざすとりくみを開拓・探求・成功させることが必要になります。全体が減らすなかで比例票を増やした都府県などの党組織の経験に大いに学びたいと思います。

また、県・地区からのアンケートでは、「折り入って作戦」が大きな威力を発揮したことが、確信をもって共通して報告されています。このとりくみも、今後に発展的に生かしていきたいと思います。

早い段階、とくに選挙戦の公示日までに、党躍進の力強い流れをつくりだすことに成功していれば、公示後、支配勢力が激しい攻撃を行ってきても、それを乗り越えて党躍進の結果をつくりだすことができたでしょう。この点も大きな反省点として、次に生かしたいと思います。

積極的支持者、党の自力――４年前の総選挙の教訓を生かしきれなかった

第三は、２０１７年の総選挙の二つの教訓――①日本共産党の綱領と理念、歴史を丸ごと理解してもらい、積極的支持者を日常的に増やすこと、②どんな複雑な情勢のもとでも、共闘の勝利と日本共産党の躍進を同時に実現する党の自力をつけること――を、総選挙のたたかいに生かしきれなかったことです。

私たちは、党大会後、積極的支持者を日常的に広げる活動の軸として、「綱領を語り、日本の未来を語り合う集い」の開催を追求してきました。「集い」の開催は、党大会直後から新型コロナ感染症が全国に広がり、たびたびの感染拡大の波によって中断を余儀なくされました。そのなかでも、感染対策をとりながら「集い」を開催する努力がはらわれ、オンラインの活用、換気の良い「まちかどトーク」など、新たな努力も行われました。党創立99周年記念講演、全国で開催されたオンライン演説会も積極的な意義をもつとりくみとなりました。しかし、分厚い積極的支持者をつくりだすとりくみが、全党的には十分にできない状況での選挙戦となりました。

今回の総選挙での支配勢力の攻撃が、「安保条約」、「憲法と自衛隊」、「天皇の制度」、「社会主義・共産主義」といった、わが党の綱領と理念にかかわる問題での攻撃だっただけに、それをのりこえるには、綱領学習と一体に積極的支持者を増やす活動をいかに強めるかが、今後の大きな課題となっています。

そして党の自力の問題であります。宣伝・組織活動の到達は、任期満了時の選挙という条件のもとで、最終到達では前回を超えた活動もありますが、選挙本番に入っての活動の規模とテンポは、対話・支持拡大で４年前に比べて６割程度に落ち込みました。支部を指導・援助する党機関の体制が弱まり、「支部を主役」にした選挙態勢の確立の遅れ・弱さの一因となりました。

これらの根本には、党の自力の問題があります。とくに世代的継承のとりくみで本格的な前進がつくれていないという問題があります。今回の総選挙は、前回総選挙時比で、党員92・2%、日刊紙88・6%、日曜版87・3%でたたかいました。都道府県・地区からのアンケートでも、力不足、自力の問題、世代的継承の問題が、痛切な教訓として報告されています。

ただ、このなかでも、青年・学生、労働者、30代~50代の真ん中世代に党をつくる努力が全体として強められていること、民青同盟が近年にない前進の流れをきりひらきつつあり、総選挙のなかでも元気に輝いたことが、各地から報告されていることは、今後を展望して、きわめて重要であります。

全国の同志のみなさん。どんな激動のもとでも前進できる強く大きな党をつくり、とくに若い世代を党に迎え入れ、参議院選挙では必ず躍進に転じようではありませんか。

（5）教訓を学び、次は攻め落とすたたかいを

以上が、〝政治対決の弁証法〟という角度から導きだした、総選挙の総括と教訓の基本点であります。

私たちは力戦奮闘し、市民と野党の共闘という点では、今後の課題を残しつつも、確かな成果をあげました。同時に、このたたかいは、支配勢力の必死の反撃を呼び起こし、野党共闘の推進力として奮闘する日本共産党は残念な後退をきっしました。そこには今後に生かすべき教訓とともに、多くの反省点もあります。

ただ、私が、ここで強調したいのは、今回の総選挙のこうした〝政治対決の弁証法〟が、大局的に見るならば、野党共闘と日本共産党が支配勢力を攻め込む過程で起こっているということであります。今回は、支配勢力を恐怖に陥れるまで攻め込み、追い詰めたが、攻め落とせず、私たちの悔しい後退となりました。

全国の同志のみなさん。このたたかいから教訓を引き出し、次は、攻め落とすたたかいをやろうではありませんか。幸いなことに、7カ月後には、参議院選挙が行われます。すぐに国民が審判する機会がめぐってきます。この選挙にむけ、党の力をつけ、よりよくたたかい、必ず雪辱を果たそうではありませんか。

マルクスは、かつてフランスにおける階級闘争の歴史を論じた論文（『フランスにおける階級闘争　１８４８年から１８５０年まで』、１８５０年）のなかで、革命は「結束した強力な反革命」を生みだすことにより、それとたたかうことによって、自分のほんとうの成長をかちとりながら、前進の道をきりひらくということを指摘したことがあります。わが国における今日の国政をめぐる進歩と反動の闘争の弁証法は、マルクスの１７０年前のこの指摘と共通する特徴をもっています。

政権交代へのチャレンジは、目標を果たすことができませんでしたが、これは1回目のチャレンジにすぎません。全国の同志のみなさん。このたたかいから学ぶべきものを学びとり、市民と野党の共闘としても、日本共産党としても、自らのほんとうの成長をかちとり、日本の政治を変える新たなたたかいに挑戦しようではありませんか。

二、参議院選挙の勝利・躍進にむけて

次に参議院選挙の勝利・躍進にむけた方針について報告します。

（1）参議院選挙の目標——日本共産党の反転攻勢、政権交代の新たな足掛かりをつくる選挙に

きたるべき参議院選挙で、日本共産党は次の二つの大目標に挑戦します。

市民と野党の共闘をさらに発展させ、政権交代への足掛かりをつくる選挙に

第一は、市民と野党の共闘をさらに発展させ、参議院で改憲勢力の3分の2獲得を許さず、さらに自民・公明とその補完勢力を少数に追い込むことをめざし、政権交代への足掛かりをつくることであります。

全国32の1人区は、最大限、野党統一候補を擁立してたたかい、その勝利をめざします。そのさい、総選挙のたたかいでえた成果をしっかりと生かすとともに、共闘の弱点を前向きに解決する努力をはかります。野党共闘の大義と魅力をいっそう発展させ、それを広く国民に伝えていく共同の努力、共闘攻撃に共同で反撃する努力を強めます。参加する政党の「対等平等」「相互尊重」を断固として貫き、共闘の力をいっそう発揮できるようにすることは、参院選における野党共闘を進める不可欠の前提であります。

複数定数区と比例区では、野党が競い合って自民・公明とその補完勢力とたたかい、競い合って少数に追い込んでいきます。

日本共産党の躍進——比例で「６５０万票、10％以上」・５議席の絶対確保を

第二は、日本共産党の躍進を必ず勝ち取り、衆議院比例票の４１６万票を起点に反転攻勢に転ずる選挙にしていくことであります。

比例代表の目標は、「８５０万票、15％以上」の目標を堅持しつつ、今回の参議院選挙では「６５０万票、10％以上」——比例5議席の絶対確保を必ずやりきる目標とし、「全国は一つ」でこの目標実現に向かって奮闘することを訴えます。

総選挙でわが党が得た比例代表の４１６万票、7・25％は、参議院選挙の比例代表で試算すると3議席となります。もちろん3議席も既得の陣地ではありません。この到達点をリアルに直視し、「６５０万票、10％以上」に必ず押し返す——「比例を軸に」を貫き、このたたかいに、全党が一丸となって挑戦しようではありませんか。

そのさい、すでに「８５０万票、15％以上」に見合う得票目標を超える得票を実現した党組織や、「６５０万票、10％以上」より攻勢的な目標を掲げるべき党組織は、より高い峰をめざして奮闘します。

参議院選挙で、必ず当選をはかる5人の比例代表予定候補と、その担当地域について発表します。北から、いわぶち友さん（北海道、東北、北関東）、田村智子さ

ん（東京、南関東）、たけだ良介さん（北陸信越、東海）、大門みきしさん（近畿）、仁比そうへいさん（中国、四国、九州沖縄）であります。5人のみなさんは、そのすべてが国会議員として試されずみの力をもつ素晴らしい政治家です。市田忠義副委員長からは、次期参院選の予定候補を辞退し、後進に道を譲りたいとの申し出がありました。4期24年に及ぶ、党国会議員団の大黒柱としての大奮闘に、心からの感謝の気持ちをのべたいと思います。

参議院の比例代表選挙は非拘束名簿式となりますが、「比例代表では日本共産党と書いてください」と訴えて選挙をたたかいます。党員は、必ず当選をはかるべき5人の比例代表予定候補の担当地域の候補者名で投票を行うようにお願いします。有権者との対話のなかで候補者名での投票を望む方があれば、もちろん歓迎であります。

全国の同志のみなさん。比例代表での5人全員必勝のために、「全国は一つ」で頑張りぬこうではありませんか。

選挙区選挙では、すべての複数定数選挙区に候補者を擁立し、勝利をめざして奮闘します。東京の現有議席を絶対確保し、前回の2019年参院選で議席を獲得した埼玉、京都、惜敗した大阪、神奈川などで議席増に挑戦します。

すべての支部が、「650万票、10％以上」に見合う得票目標と、その実現をめざす「政策と計画」を決めましょう。都道府県・地区党会議を、「総合計画」を補強し、参院選必勝をめざす決意あふれる会議として成功させましょう。

全国の同志のみなさん。きたるべき参議院選挙を、日本共産党の反転攻勢を実現し、政権交代への新たな足掛かりをつくる選挙にしていくために、全力をあげようではありませんか。

（2）草の根からの要求運動で岸田政権を包囲し、政権交代を国民多数の声に

岸田政権と正面から対決し、新しい日本をつくるための新たなたたかいに全力を

ここで岸田政権をどうとらえ、どうたたかうかについて、報告します。

岸田政権は、安倍・菅政治が国民から見放され、退場を迫られたもとで、安倍・菅政治への国民の批判・不満を取り込んだ「違い」を打ち出さざるを得ませんでした。しかし、政治の中身は、安倍・菅政治そのものであります。安倍・菅政治を継承し、「安倍支配」を受け入れることが岸田政権の存在条件でありながら、国民に向けては、安倍・菅政治との「違い」をアピールしなければならない。ここに岸田政権の大きな矛盾があります。この矛盾が、岸田政権がその政策を具体化する一歩一歩で、噴き出しています。

たとえば岸田首相は、自民党総裁選では、「新しい資本主義　新自由主義からの転換」を打ち出しました。しかし、実際に進めていることは、20万床の病床削減と公立・公的病院の統廃合など社会保障切り捨てを続けることであり、労働者派遣法の度重なる改悪をはじめ労働法制の規制緩和路線を見直す姿勢はありません。一時期掲げた富裕層優遇の金融所得課税の見直しの旗をおろし、消費税減税を拒否し続けています。その実態は、弱肉強食の新自由主義の継続・強化そのものではありませんか。

岸田首相は、「聞く耳」を強調しましたが、総選挙直後に官房長官を沖縄に派遣してやったことは、破綻した辺野古新基地建設

を、「唯一の解決策」として押し付けることでした。日本学術会議への人事介入も「終わったこと」として、違憲・違法の任命拒否を続けています。「森友・加計・桜を見る会」など国政私物化疑惑の真相究明に背を向け続けています。強権政治と腐敗政治を続けるという点でも、安倍・菅政治と何ら変わるところはないではありませんか。

日本共産党は、岸田政権と正面から対決し、政権交代を実現して、国民が安心して希望をもって暮らせる新しい日本をつくるための新たなたたかいに全力をあげる――その決意を表明するものであります。

あらゆる分野で、草の根から要求運動を発展させ、岸田政権を包囲しよう

その最大の力となるのは、あらゆる分野で、草の根から国民の要求にもとづく運動を発展させ、その力で岸田政権を包囲することであります。総選挙で掲げた「四つのチェンジ」をはじめとするわが党の公約、野党共通政策の実現のために、国民共同のたたかいを発展させようではありませんか。それこそが市民と野党の共闘を発展させ、政権交代を国民多数の声にする最大の原動力であります。

もともと市民と野党の共闘は、２０１４年から15年にかけての安保法制反対の新しい市民的・国民的たたかいの高まりを最大のエネルギーとして生まれました。いま、さまざまな妨害や困難をのりこえて、共闘を発展させる最大の力は、野党共通政策の一つひとつを実現するための国民的な運動を、あらゆる分野で発展させることにあります。

全国のみなさんに呼びかけます。あらゆる分野で草の根からの要求運動を起こし、岸田政権を包囲し、政権交代を国民多数の声にしていこうではありませんか。

たたかいの課題――選挙後の情勢の進展を踏まえて

たたかいの課題としては、党の公約、野党共通政策の全体を実現するたたかいにとりくんでいきますが、選挙後の情勢の進展を踏まえて、四つの点を強調したいと思います。

《国民の苦難軽減という立党の原点に立って、命と暮らしを守る》

第一は、国民の苦難軽減という立党の原点に立って、命と暮らしを守るたたかいであります。

岸田政権は、一方で、感染拡大に備えた病床確保を求めながら、他方で、「地域医療構想」の名で高度急性期・急性期病床の20万床の削減を進めるという、まったく矛盾した姿勢をとっています。医療破壊を止め、医療・公衆衛生を再生していくとりくみを、各自治体の実態にそくして全国で進めようではありませんか。

岸田政権は、「コロナでお困りの皆様への給付金の支給」を総選挙の公約にしながら、生活に困っている非正規で働く多くの方々を支給対象にしない、きわめて不十分な給付金制度を進めようとしています。コロナで困っている国民みんなに給付金を、持続化給付金・家賃支援給付金の第２弾の支給を――そのための世論と運動を広げようではありませんか。

コロナによる失業・休業・収入減、倒産・廃業が深刻となるもとで、原油高騰や円安などによる物価高が庶民の生活苦に追い打ちをかけています。暮らしと営業を守り、消費を活発にする最大の決め手――消費税５％への減税を求めるたたかいを発展させようではありませんか。

《「９条守れ、憲法生かせ」を掲げ、草の根からの国民的な大運動を》

第二は、「９条守れ、憲法生か

せ」の国民的な運動で、憲法破壊のくわだてを止めることであります。

憲法9条改憲への危険な新局面が生まれています。岸田首相は、11月10日の記者会見で、憲法改定の実現にむけ、「党内の体制を強化すること」「国会における精力的な議論を進めること」を指示するなど、前のめりの発言を繰り返しています。「敵基地攻撃能力の保有」、ＧＤＰ（国内総生産）比2％への軍事費の増額など、自衛隊を海外派兵型の軍隊につくりかえる大軍拡が進められようとしています。維新の会と国民民主党が、「憲法改定論議の加速」で合意し、自民党の改憲策動を応援・後押ししていることも重大であります。

今起こっている動きの狙いが、9条改憲の国会発議であることは明らかです。総選挙で、自民党は「自衛隊の明記」をはじめ改憲4項目を公約に掲げています。維新の会も、「憲法9条について、正面から改正議論を行う」ことを公約に掲げました。9条を改定し、海外で何の制約もなく戦争をする国づくりをすすめ、東アジアの平和と安定に重大な逆流と危険をつくりだすたくらみを、絶対に許してはなりません。

野党共通政策には「コロナ禍に乗じた憲法改悪に反対する」ことを明記しています。この国民への公約にそくして市民と野党の共同のたたかいを発展させることを訴えます。

「9条改憲ＮＯ！　全国市民アクション」が呼びかけた新しい憲法署名――「憲法改悪を許さない　全国署名」を日本共産党としても位置づけ、5月3日を節に１０００万の規模でとりくもうではありませんか。改憲勢力の策動に対して、「9条守れ、憲法生かせ」を掲げ、草の根からの国民的な大運動で応えることを、第4回中央委員会総会として心から呼びかけるものであります。

《気候危機打開のための国民的な運動を起こそう》

第三は、気候危機打開のための国民的な運動を起こすことであります。

11月に行われた国連気候変動枠組み条約第26回締約国会議（ＣＯＰ26）では、石炭火力の是非が大争点となりました。英独仏、ＥＵ（欧州連合）、ポーランド、韓国、ベトナム、インドネシアを含む46の国と地域が、石炭火力の新設中止や、二酸化炭素排出削減措置をとらない石炭火力の段階的廃止を明記した石炭火力の「廃止宣言」に賛同しました。ところが、岸田政権はこの流れに背を向け、「化石賞」を受賞するという恥ずべき姿勢をとっています。

石炭火力と原発にしがみつく岸田政権の姿勢を根本的にあらためさせる国民的運動が急務であります。若者、科学者、環境団体、あらゆる個人・団体の連帯したたたかいを発展させ、気候危機打開の国民的な運動を起こし、岸田政権を包囲しようではありませんか。日本共産党として、「気候危機を打開する２０３０戦略」を広く団体・個人に届け、対話と懇談、多様な行動を広げ、気候危機打開にむけた国民的共同を築くために全力をあげる決意を表明するものであります。

《ジェンダー平等を求める運動と連帯を広げ、この課題を国政の中心課題に》

第四は、ジェンダー平等を求める多様な市民の運動との連帯を広げ、この課題を国政の中心課題にすえさせるたたかいであります。

自民党の総選挙公約からは「選択的夫婦別姓」という言葉さえ消え、岸田首相は就任直後の所信表明演説でジェンダー平等について一言も語りませんでした。ジェンダーギャップ指数で世界１２０位という深刻な遅れから、これ以上政治が目をそらすことは許されるものではありません。

選択的夫婦別姓に反対する「隠れみの」として、日本会議とつながる自民党議員が主張する「通称使用」の拡大は、国際的に通用せず、個人の尊厳や多様な家族のあり方を求める要求に応えるものではありません。民法改正による選択的夫婦別姓の実現へ、立場や党派を超えて運動を広げ、妨害する勢力を包囲しようではありませんか。

痴漢ゼロの訴えに大きな共感が広がっています。性暴力や痴漢被害、性的搾取の実態を党としてもつかみ、当事者の苦しみや声に寄り添い、刑法改正を実現し、女性へのあらゆる暴力を根絶する方向へと政治を動かそうではありませんか。

春闘での賃上げ要求が大きくとりくまれていくもとで、男女賃金格差の実態を明らかにさせ是正させる運動にとりくみ、医療・介護・保育などケア労働の大幅賃上げを国の責任で行えと求めていこうではありませんか。

全国のみなさん。総選挙に向けて発表した政策「ジェンダー平等の日本へ　いまこそ政治の転換を」を掲げ、性にかかわるあらゆる差別をなくし、誰もが尊厳をもち、自分らしく生きられる日本をつくるために、政治の責任を果たさせようではありませんか。

（3）参議院選挙勝利・躍進へ――3本柱の活動にただちにとりくもう

次に参議院選挙勝利・躍進をめざす方針について報告します。

参議院選挙の公示が予想される6月下旬まで、あと7カ月となります。新しい比例目標である「650万票、10％以上」の達成をはじめとする目標を必ずやりきり、参議院選挙勝利・躍進をどうかちとるか。総選挙の総括と教訓をふまえ、次の3本柱の活動にただちにとりくむことを訴えます。

3月末までを節に、参院選勝利・躍進の政治的・組織的とりくみの確かな前進を

第一は、7カ月のうちの前半の4カ月――3月末までを節にして、広い有権者を対象にした参議院選挙勝利・躍進の政治的・組織的とりくみ、「しんぶん赤旗」読者拡大の確かな前進をつくりだし、4月以降の活動でさらにそれを大きく発展させることです。

「比例を軸に」を貫き、早い段階から日本共産党躍進の力強い流れをつくりだすために全力をあげようではありませんか。いくつかの具体的な提案をいたします。

《3月末までに「参院選躍進・第1次全国遊説」など政治的攻勢を》

3月末までに、すべての都道府県で「参院選躍進・第1次全国遊説」にとりくみ、「支部が主役」で大成功させ、政治的攻勢をかけましょう。

「○○世帯に1カ所」などの目標を決め、ハンドマイクや宣伝カーをフルに活用して、「声の宣伝」にとりくみましょう。ツイッター、インスタグラムなどネット・SNSでの発信を強めましょう。

気候危機打開とジェンダー平等の宣伝物が総選挙で大好評だったことを踏まえ、この二つの問題で街頭配布用の宣伝物をできるだけ早くお届けするようにします。ぜひ大いに活用していただきたいと思います。

《3月末までに「参院選躍進・第1次折り入って作戦」にとりくもう》

3月末までを節にして、「参院選躍進・第1次折り入って作戦」にとりくみましょう。

全国の都道府県・地区からのア

ンケートでは、「折り入って作戦」が大きな威力を発揮したことが共通して語られるとともに、「参院選に向け、すぐに『折り入って作戦』にとりくみたい」、「二度、三度ととりくみたい」との声も多く寄せられています。

総選挙では、全党の奮闘によって、対話の到達は約1000万人、支持拡大の到達は約740万人となりました。総選挙で対話し、支持をお願いしたすべての方々を対象に、遅くとも3月末までに、総選挙のお礼をかねて働きかけ、参議院選挙にむけ、党への支持をお願いするとともに、後援会への参加、「しんぶん赤旗」の購読、募金への協力など、さまざまな形で「担い手」となっていただくことをお願いする「第1次折り入って作戦」にとりくむことを呼びかけるものです。

4月以降、こうした活動をさらに大きく発展させ、今度こそ、公示日までに1500万の対話、1000万の支持拡大をやりぬき、「650万票、10%以上」を達成する確かな組織的活動をやりきって参院選をたたかうようにしたいと思います。参院選躍進をめざす組織活動では、「固めつつ広げる」の立場で運動を発展させていきたいと思います。

《「しんぶん赤旗」読者拡大で、毎月前進、6月中に前回参院選時回復・突破を》

「折り入って作戦」と一体に、「しんぶん赤旗」読者拡大で、全都道府県・全地区で毎月前進をかちとり、6月中に、前回参院選時の回復・突破をはかりましょう。そのために見本紙の活用など独自の手だてをとり、独自追求を行うことを訴えるものです。

日本と世界の社会進歩の展望を広げるうえでも、支配勢力の反共攻撃を打ち破って日本共産党の綱領・理念・歴史・活動を知っていただくうえでも、毎日、毎週、わが党の姿を伝える「しんぶん赤旗」の読者をどれだけ広げることができるかが、決定的に重要であります。6月までに、日刊紙では1万1000人以上、日曜版では4万6500人以上を増やし、どんな逆流や攻撃があっても参議院選挙を勝ちぬく力をつけましょう。

「女性のしあわせと平等のために」を掲げジェンダー平等を求めるさまざまな運動のよりどころとなっている『女性のひろば』を大いに広げていきましょう。

早い段階、公示日までに、日本共産党躍進の力強い流れをつくりだす。これは、総選挙のたたかいから引き出した痛切な教訓でした。全国の同志のみなさん。この教訓を、参議院選挙で必ず生かそうではありませんか。

反共攻撃にかみあって積極的支持者を増やすとりくみを大戦略に

第二は、支配勢力による反共攻撃にかみあって日本共産党の綱領と理念、歴史を伝え、「日本共産党だから支持する」という積極的支持者を増やすとりくみを、参院選躍進にむけた大戦略に位置づけて、やりぬくことです。

《攻撃の新しい特徴をつかみ、徹底的に打ち破る活動を、大戦略に位置づけて》

支配勢力が総選挙で行った反共攻撃は、歴史上初めて日本共産党も加わる政権がつくられる可能性が生まれるという新たなステージでの攻撃という、これまでにない特徴をもっています。

彼らは、日本共産党に対して、「安保廃棄、自衛隊違憲、天皇制廃止、社会主義・共産主義」などのレッテルを貼ることで、そういう政党が政権に加わることが、混乱や不安定、危険をもたらすという攻撃を行いました。日本共産党が、野党として政権に対峙《たいじ》する勢力という状況の下では、あまり通用しなかったレッテル貼りだけの攻撃でも、新政権ができた場合には協力を行うという合意をかわし、そのために大規模な選挙協力を行っているという新しい状況の下では、かなりの影響を及ぼすものとなりました。

わが党の綱領と理念にかかわるこうした攻撃は、わが党が野党共闘を行い、政権交代に挑戦するかぎり繰り返されることになるでしょう。ただこれは、私たちが攻め込んだ新しいステージで起こっている出来事なのであります。攻撃の新しい特徴をつかみ、それを徹底的かつ攻勢的に打ち破る活動を、参院選躍進にむけた大戦略に位置づけ、本腰を入れてとりくもうではありませんか。

支配勢力が、わが党が政権に参加することへの不安をあおり立てるもとで、「日本共産党が政権に加わることこそ日本の政治を良くする道だ」ということを攻勢的に訴えていく活動にとりくみたいと思います。

「安保廃棄」、「憲法と自衛隊」、「天皇の制度」、「社会主義・共産主義」といった支配勢力が攻撃の焦点としている問題などで、党綱領の立場を丁寧に理解していただく活動とともに、日本共産党が、社会の段階的発展と多数者革命の立場に立ち、社会発展のどんな段階でも思想・信条の違いをこえた一致点にもとづく共同――統一戦線を大切にするという立場を貫いていることを伝えていくことが重要であります。

《「綱領を語り、日本の未来を語り合う集い」を空前の規模で》

そのための具体的な活動として、「綱領を語り、日本の未来を語り合う集い」を、参議院選挙にむけ、全国津々浦々で、屋内・屋外で、空前の規模でとりくむことを呼びかけたいと思います。

私たちは、「集い」には、①積極的支持者づくり、②担い手づくり、③党の自力づくり、の「一石三鳥」の力があることを強調してきました。支配勢力による反共攻撃にかみあって、わが党の綱領と理念、歴史を広げていくうえで、この運動はとりわけ大きな力を発揮するでしょう。

支配勢力が大規模に反共攻撃を行うもとで、わが党綱領が国民的な話題になる状況が生まれています。テレビの討論会などでも、与党勢力がわが党の綱領を読み上げ、ねじ曲げて攻撃するということも行います。わが党の綱領自体が政治対決の熱い焦点になっているわけで、こうした点からも、いままさに綱領を語り広げる絶好のチャンスでもあることを強調したいと思います。

すべての支部・グループ、自治体・行政区で、網の目のように、くりかえし「集い」を開き、国民の関心や疑問にこたえて、日本共産党綱領の素晴らしさを語りに語りぬこうではありませんか。

《綱領学習にとりくみ、みんなが自分の言葉で綱領と理念、歴史を語れる党に》

〝学びつつたたかう〟ことを太く位置づけて推進しましょう。改定綱領は、激動の内外情勢のもと大きな生命力を発揮していますが、その読了は47％にとどまっています。全党が、第28回党大会決定、改定綱領学習講座などを活用し、綱領学習にとりくみましょう。県・地区党学校、支部の綱領講座を開催しましょう。みんなが自分の言葉で、党の綱領と理念、歴史を語れる党に成長する努力をつくしましょう。

全国の同志のみなさん。私たちの綱領を広く国民多数のものにしていく活動を、「共闘の時代」にふさわしいものに質量ともに抜本的に強めながら、参議院選挙の勝利・躍進をかちとろうではありませんか。

世代的継承のとりくみを中軸にすえ、党員拡大の独自追求を抜本的に強めよう

第三は、世代的継承のとりくみを全党の力を総結集して前進させ

ることを中軸にすえて、党員拡大のための独自追求を抜本的に強めることです。

総選挙をたたかって、全国の都道府県・地区から寄せられた最も痛切な声は、わが党の自力の不足という問題でした。とくに、世代的継承が一刻の猶予も許されない緊急で死活的な課題となっているということでした。

参議院選挙の勝利・躍進のためにも、「しんぶん赤旗」の配達・集金や党機関の体制の困難をはじめ党の現状に照らしても、何よりも党の将来を展望しても、この弱点を打開する活動に、全党の力を総結集してとりくみたいと思います。

《党員拡大――世代的継承で確かな前進をはかりつつ、前回参院選時の回復・突破を》

党員拡大の目標では、参議院選挙の公示までに、青年・学生、労働者、30代～50代の真ん中世代で1万人の党員を増やし、世代的継承で確かな前進をはかることを目標にすえ、正面から挑戦することを提案します。全体では党員数を1万5000人増やし、公示までに前回参院選時の回復・突破をはかることを目標にすえ、実現のために全力をあげることを提案するものです。

新しい党員を迎えて総選挙をたたかった支部では、新入党員の新鮮なエネルギーが、支部全体の大きな活力ともなりました。同時に、党員拡大の前進のためには、独自の手だてが絶対に必要であり、それ抜きには絶対に進みません。

今大会期、党員拡大で前進している党組織は、①「入党しそうかどうか」ではなく、支部で広く結びつきを出し合う、②党機関が一回一回の働きかけを評価し励ます、③「楽しく元気の出る支部会議」の努力で「迎えても育てられない」というためらいを乗り越えるなど、党大会第二決議を指針にして党員拡大にとりくんでいます。

党員拡大前進のための独自追求の手だてをとり、党の根幹を太く大きく成長させながら参議院選挙をたたかおうではありませんか。「党費のしおり」を活用した党費納入の引き上げを思い切って重視することも訴えます。

《世代的継承①――民青同盟への援助を強め、党として広く若者に働きかける》

党員拡大の中軸に、世代的継承のとりくみを緊急・死活の課題として位置づけることを訴えます。さらに世代的継承のとりくみを、参議院選挙勝利・躍進をめざす3本柱の活動のすべてで太く貫くことを訴えます。党支部と連携しつつ、党機関が直接責任をもって、次の活動にとりくむことを呼びかけたいと思います。

一つは、民青同盟への援助を強め、若い世代の要求実現の運動に連帯する活動を抜本的に強めることです。

民青同盟が、この間、近年にない民青同盟員を増やし、総選挙のたたかいでも若い力が各地ではじけたことは、本当に心強いことです。いま民青同盟は、参議院選挙にむけて、食料支援に引き続きとりくみつつ、暮らし、働き方、学費・奨学金、気候危機、ジェンダーなどのテーマでたたかいつつ、若者の生の声を聞き、政治に届ける活動――「いまの暮らしと政治について。新自由主義を乗り越えるための青年の生の声」運動にとりくみ、若者の力で国会の力関係を変える新たなとりくみを開始しつつあります。

若い仲間のみなさんの大奮闘によって、いま民青同盟の活動と組織を飛躍させる大きな条件と可能性がつくられています。民青同盟に対し、日本共産党綱領と科学的社会主義の学習を援助するとともに、党と民青の懇談を定期的に開催し、悩みや願いにこたえた活動を行い、双方向で知恵と力を出し合い、党と民青の共同の事業として強く大きな民青同盟をつくるために、全力をつくそうではありませんか。そのなかで党機関の責任で民青の党グループへの援助を行い、民青同盟のなかで青年党員を増やす独自のとりくみを行いましょう。

　同時に、党として広く若者に働きかける活動として、「格差・気候・ジェンダー　若者と未来を語り合う全国キャンペーン」にとりくみます。総選挙で、各地の街頭で行われた「気候危機打開のトークイベント」や、「ジェンダー平等のトークイベント」が、大きな反響と共感を広げました。すべての都道府県・地区委員会で、屋内、屋外で、ＳＮＳも活用して、双方向で若者と語り合う「集い」「まちかどトーク」「タウンミーティング」などにとりくみましょう。

　若者との結びつきを広げ、ともにたたかう選挙にしていきましょう。総選挙では、ＪＣＰサポーターのみなさんが、プロモーションビデオの作成とＳＮＳを活用した発信、バックバナーの作成など、創意をこらした大活躍をしてくれました。各地の事務所にボランティアとして訪れる若者があいついでいます。ＪＣＰサポーターの登録、候補者・都道府県のＬＩＮＥ登録を思い切って広げ、若い世代とともにたたかう選挙にしていこうではありませんか。

《世代的継承②――労働者のなかでの党づくりの二つの努力方向》

　二つ目は、労働者のなかでの党づくりです。この間、新たな前進を切り開きつつある党組織から、次の二つの努力方向を学びたいと思います。

　一つは、党機関が、いまある職場支部への援助を系統的に粘り強く行っていることです。ある地区委員会では、関係党員と地区役員で「医療関係職場対策会議」を立ち上げ、八つある党支部に支部会議の定期開催と党員拡大の援助を粘り強く続けるなかで5年間で10人の職員を党に迎え入れています。ある地区委員会では、職場担当の地区役員を中心に「労働プロジェクトチーム」を立ち上げて系統的にとりくみ、公務職場の党が「集い」に繰り返しとりくみ入党者を迎え入れています。こうしたとりくみに学びたいと思います。

　いま一つは、党機関が、空白職場に党の支部をつくる戦略をもち、党のもつあらゆる力を結集して実践していることです。ある県委員会では、党支部のない自治体職場に支部をつくることに戦略的にとりくんでいます。自治体労働組合の県グループ、地方議員、地域支部との知恵だし会議を行うことから出発し、地域の読者のなかにいる自治体労働者を党に迎えるなどの努力をつうじて、支部を再建し、総選挙でも大きな力を発揮しました。

　二つの努力方向に学び、労働者のなかでの活動と組織の発展に力をつくしましょう。都議選と総選挙では、「職場支部をカヤの外に置かない」を合言葉に、職場支部への援助が強められました。労働者後援会の結成・再開が、職場での対話・支持拡大、党勢拡大の力となりました。参議院選挙に向けて、こうした努力をさらに広げようではありませんか。

《世代的継承③――真ん中世代での党活動と党建設の前進を》

　三つ目は、30代～50代の真ん中世代での党活動と党建設の前進であります。

　党大会後、真ん中世代の党員への援助を強める努力が広がっています。地域支部や職場支部に所属しながら、仕事や子育てなどの事情で党活動に参加することが困難になっている真ん中世代の党員に、党機関が粘り強く働きかけ、同世代の党員がオンラインも活用して集まり、学習と交流を行うことが大きな力になっています。どこでも学習と交流が、党員としての自覚を高める契機となり、選挙での宣伝活動、つながりを生かした対話・支持拡大、読者拡大、党員拡大、配達・集金活動など、次のステップに踏み出していることが共通しています。このことが、所属する地域支部や職場支部の活動の活性化につながっていることも重要であります。

さまざまな事情で活動に参加できていない30代～50代の党員に繰り返し働きかけ、「集い」や交流会の開催を継続するためには、党機関のイニシアチブが不可欠であります。ある県委員会では、党大会を前後してすべての地区委員会に「真ん中世代担当者」を配置しました。地区委員会の担当者は、「総選挙では初めて自分と同世代の党員と一緒に選挙ができて感動している」と語っています。

党の世代的継承という場合、新しい党員を迎えること、青年・学生のなかに党をつくることとともに、すでに党のなかにいる、党の事業を継承してもらうべき同志たちの力を引き出すことも重要となっています。

参議院選挙の勝利・躍進のためのとりくみをすすめつつ、世代的継承の事業を前進させるためには、そのための独自の推進態勢を、都道府県、地区、行政区にいたるまで確立することが絶対不可欠であります。その促進のために、党中央として、必要な会議を系統的に行うようにします。

党の総力を結集して、世代的継承の事業を成功させることを、重ねて心から訴えるものであります。

（4）中間地方選挙で反転攻勢に転じよう

中間地方選挙で前進に転ずることは、参院選勝利・躍進にとっても絶対不可欠

中間地方選挙について報告します。

12月から参議院選挙が予定される7月までに、107市85町村で中間地方選挙が行われます。現有議席を絶対に確保し、後退から前進に転じるために力をつくします。

第28回党大会は、「地方議員第1党の奪回をめざす」ことを掲げ、「『議席占有率』、『議案提案権』、『空白克服』の三つの目標を都道府県ごとに具体化し、必ず前進をかちとる」ことを提起しました。しかし、残念ながら、党大会時2662人だった地方議員数は2587人に75人後退しています。

この後退を打開することは、それぞれの自治体での福祉と暮らしを守る事業を前進させることにとどまらず、わが党全体にとって二重の意味で大きな意義をもつものです。

第一に、中間地方選挙の結果は、その時々の日本共産党の政治的な勢いを示すバロメーターとなります。ここで上げ潮に転じてこそ、参院選勝利の道が開かれます。

第二に、住民の利益を守って日夜奮闘している地方議員は、党員、読者とともに、草の根での党の自力の中心をなすものであり、その後退を打開することは自力を強めるうえでも決定的に重要であります。

中間地方選挙で後退から前進に転ずることを、参議院選挙の勝利・躍進にとっても絶対不可欠な課題と位置づけて、力をそそごうではありませんか。

地方党組織と中央が一体になって、党建設と地方選挙を前進の好循環に

議席後退の要因を分析すると、

第一に、前回当選者数に対して同数の候補者を擁立できず見送りで失った議席が36議席に及んでいます。第二に、候補者決定の遅れや選挙準備の立ち遅れによる失敗や苦戦があります。第三に、議員や候補者の日常活動や党生活に対する党機関の援助の弱まりが後退の要因になったケースもあります。

どの弱点も、根底には党建設の後退があります。同時に、私たちは「党建設が後退しているから、中間地方選挙での後退はやむを得ない」という立場に、決して立つわけにはいきません。そうした立場では、党建設の後退と地方選挙の後退の悪循環に陥ってしまうことになります。選挙に向けていかに党建設を前進させるか。いかに早くから選挙準備をはじめ、自力をつけつつ、同時に、今の自力でも勝利できるようにやるべきことをやりぬくか。地方党組織と中央が一体になって現状打開の方途を見いだし、党建設と地方選挙を前進の好循環に転ずるためにあらゆる知恵と力をつくそうではありませんか。そのさい、地方議員の活動と成長を支え、住民要求にもとづく議員団の日常活動を強め、議員団と議席の値打ちを光らせていく援助も大いに強めたいと思います。

沖縄では、玉城デニー知事が、政府が提出した辺野古新基地の設計変更申請を不承認にするという新局面が生まれるもとで、新基地建設反対のたたかいが重大な正念場を迎えています。22年初頭の名護市長選挙、秋の沖縄統一地方選挙、県知事選挙、那覇市長選挙は、きわめて重要な意義をもったたたかいになります。辺野古新基地反対、普天間基地閉鎖・撤去を求める「オール沖縄」のたたかいへの全国の連帯を心から訴えるものであります。

２０２３年の統一地方選挙での勝利を展望して、どんなに遅くとも3月末までには候補者を決め、参議院選挙躍進と統一地方選挙勝利のとりくみを相乗的に推進することも、あわせて訴えるものであります。

（5）党の潜在的力を総結集し、機関体制の抜本的強化をはかろう

党機関の体制について報告します。機関体制が弱まっているもとでも、全国の党機関で働く同志たちが懸命の奮闘をしていることに、心からの敬意を表したいと思います。同時に、参議院選挙の勝利・躍進をめざす3本柱の活動、中間地方選挙での反転攻勢をやりぬくためには、党機関体制の抜本的強化をはかることが、どうしても必要であります。

とくに、これから行われる都道府県党会議、地区党会議が重要であります。わが党には、職場で長い間奮闘し、鍛えられ、退職したベテランの同志が多数います。この間、党に新たに加わってきた職場の同志、真ん中世代の同志、若い世代の同志が、総選挙でも大きな力を発揮しました。各級党会議を、いま私たちがもつ党の潜在的な力を総結集し、女性の機関役員を増やし、ベテランの同志とともに現役世代の機関役員を増やし、補助指導機関も含めて、機関活動が新鮮な活力をえて前進する機会としても大きく成功させようではありませんか。

三、党創立100周年を参議院選挙の躍進で祝おう

全国の同志のみなさん。来年は、日本共産党創立１００周年の記念すべき年となります。まるまる1世紀を、同じ名前で活動し、科学的社会主義の理論を21世紀の内外の現実と切り結んで絶えず発展させ、国民の苦難軽減のための献身的活動を続け、日本の政治において重要な影響力をもつ政党として活動していること自体が、私は、大きな歴史的意義をもつものだと考えます。

最後に強調したいのは、この報告の冒頭で〝政治対決の弁証法〟という角度から総選挙の総括と教訓を明らかにしましたが、日本共産党の１００年は、支配勢力による攻撃に絶えずさらされながら、その攻撃を打ち破り、前途を切り開くという、奮闘と開拓の１００年であるということであります。

戦前、天皇絶対の専制政治のもとで、わが党が勇敢にとりくんだ国民主権、反戦平和のたたかいに対して、暗黒勢力は残虐な弾圧を加え、党はきびしい状況に置かれ、私たちの多くの先輩たちが命を落としました。しかし、わが党が不屈に掲げた主張は、戦後、日本国憲法のなかに大きく実りました。戦後、１９６１年に綱領路線を確立して以降の党の躍進に対して、１９８０年の「社公合意」を契機に、支配勢力によって「日本共産党を除く」の壁が築かれましたが、国民と結びついた全党の奮闘によって「除く」の壁は崩れ、今日の共闘の時代を開きました。

わが党の１００年の歴史には、ひと時として〝順風満帆《じゅんぷうまんぱん》〟な時はありません。それは支配勢力との〝政治対決の弁証法〟のなかでの奮闘と開拓の歴史であります。そして、時代を切り拓《ひら》くたたかいのなかにこそ、私たちの喜びがあるのではないでしょうか。

支配勢力による攻撃は、日本共産党が、古い体制を根本から変革する志と科学的路線をもち、不屈にたたかう政党であることの証しであり、それはわが党にとって誇るべきことではないでしょうか。

幸いなことに、党創立１００周年の来年7月には参議院選挙が行われます。総選挙の雪辱を果たすチャンスがめぐってきます。

総選挙では、野党共闘と日本共産党が支配勢力に大いに攻め込みましたが、相手の激しい反撃のなかで、悔しい後退となりました。全国の同志のみなさん。ここから深い教訓を学び取り、参議院選挙では必ずや反転攻勢に転じ、党創立１００周年を日本共産党の躍進で祝うことができるよう、全力をつくそうではありませんか。

以上をもって幹部会報告といたします。

（「しんぶん赤旗」２０２１年11月29日付）

第4回中央委員会総会

志位委員長の結語

2021年11月28日

みなさん、2日間の会議、お疲れさまでした。

私は、幹部会を代表して、討論の結語を行います。

参院選躍進めざす反転攻勢への大きな転機となる歴史的総会に

中央委員会総会では、66人の同志が発言しました。全国でリアルタイムで視聴した方の数は5万5086人であります。感想文が872通寄せられています。この大会期の中央委員会総会としては、最大規模の視聴となりました。この総会に対する注目と期待の大きさを示すものになったと思います。

幹部会報告は、討論でも、全国からの感想でも、全体として、きわめて積極的に受け止められました。そして、たいへん率直な討論によって深められたと思います。参議院選挙にむけ、比例代表と選挙区の予定候補として奮闘している同志から、必勝の決意あふれる発言が行われました。

この総会は、総選挙の総括と教訓をふまえ、参議院選挙の勝利・躍進をめざす反転攻勢への大きな転機となる歴史的総会となったといえると思います。

総選挙の総括と教訓にかかわって

〝政治対決の弁証法〟――次なるたたかいへの新しい活力がわきおこっている

まず総選挙の総括と教訓にかかわってのべます。

幹部会報告に対して、討論でも、感想でも、全体として、「非常にすっきりした」「展望がわいた」「これで頑張れる」との強い確信が寄せられました。総選挙の結果を見て、期待が強かっただけにショックだった、常任幹部会声明などを読んでも、もやもや感からなかなか抜け出せない状況があったけれども、幹部会報告での、とくに支配勢力――自公と補完勢力と野党共闘・日本共産党との攻防のプロセス、〝政治対決の弁証法〟という立場での総括をうけ、党全体に次なるたたかいへの新しい活力がわきおこっているといえるのではないでしょうか。

長野の鮎沢県委員長は、比例票を減らし、藤野さんの議席を失った、たいへんに残念な結果を踏まえてこう発言しました。

「結果をうけ、党内でも、『いったい何が起こったんだ』『なんでこんな結果になったのか』という声が相次ぎました。それだけに、幹部会報告の〝政治対決の弁証法〟の角度から総選挙をとらえる指摘は、本当にその通りだ、これだ、という確信になりました。議席を失ったことは悔しいが、次の展望が見えてきたし、視界が開ける思いがしました。幹部会報告では、〝政治対決の弁証法〟で大局的に見るなら、共闘と党が支配勢力を攻め込む過程で起こっているんだと指摘しています。長野県では、攻めに、攻めに、攻め込んでいた。2016年の参議院選挙、19年の参議院選挙、今年4月の参議院補選でも、市民と野党が勝利して、自民党をいよいよ信州から一掃できる条件をつくってきました。だから相手は追い込まれて、尋常ではない必死さで反撃してきました。次はいよいよ攻め落とそうという提起は、悔しがっている党員の思いにぴったりくるし、確信を与えて団結して前に向かい、反転攻勢に転じることができると確信しています」

鮎沢同志は、5~6年間におよぶ長野県での共闘の歴史のなかで今度の選挙をとらえる発言をしました。多くの発言が、〝政治対決の弁証法〟でとらえることの重要性、そのことでがっかり感が払しょくされ、深い確信と勇気に変わり、次の展望が見えてきたと語りました。こういうとらえ方で今度の選挙を大局で総括して前に進みたいと思います。

弁証法について――総選挙の結果を「変化と発展」「全体の関連」の中でとらえる

幹部会報告では〝政治対決の弁証法〟という言葉を使ったわけですが、ここで弁証法という物事のとらえ方についてのべておきたいと思います。

弁証法とは、わが党が理論的基

礎としている科学的社会主義の世界観の根本であります。すなわち、物事を「一断面」ではなくて「変化と発展」の中でとらえる。「孤立」したものではなくて、「全体の関連」の中でとらえる。そうしてこそ物事を「現れるままの姿」で認識し、理解することができる。これが、私たちが世界をとらえるさいに根本においている方法であり、世界観であります。

　総選挙の結果は、「一断面」で見れば悔しい後退です。しかし、「変化と発展」の中でとらえれば、私たちが、支配勢力に攻め込み、追い詰めた、新しいステージの中での新しい困難だということが見えてきます。そして、ここを突破すれば大きな新しい展望が開けることも見えてきます。

　それから、総選挙の結果の全体を、野党共闘の内部の弱点、わが党の内部の弱点――もちろんその克服は大切であることは言うまでもありませんし、どういう弱点があり、どう打開していくかの方向は報告でものべたわけでありますが――、そういう私たちの側の問題だけで「孤立」的にとらえない。支配勢力の攻撃とのたたかいという大きな対決の構図の中で、「全体の関連」においてとらえる。そうしてこそ、この攻撃を打ち破る大戦略の重要性が見えてくるのではないでしょうか。

　そういう点では、討論や感想の中で、「今回の総括は科学的社会主義の党ならではの総括だ」という声が多く寄せられたことは、大切な受け止めだと思います。

総選挙の総括と参議院選挙の方針は一体のもの

　そして、私が強調したいのは、幹部会報告でのべた総選挙の総括と参議院選挙の方針は、一体のものだということです。

　すなわち、幹部会報告では、総選挙の総括から必然的に導かれるものとして、参議院選挙の勝利・躍進をめざす方針を「３本柱の活動」として提案をいたしました。

　中央役員のみなさん、総選挙の総括と教訓を〝政治対決の弁証法〟という立場で、発展的かつ全面的に引き出して、参議院選挙の勝利・躍進に挑もうではありませんか。

全国の同志とともに、弱点を打開する道を探求・開拓していきたい

　幹部会報告の中では、常任幹部会としての自己分析を行いました。

　報告では、比例代表で後退した原因として、三つの反省点をのべました。その第一の反省点として、「支配勢力の必死の攻撃に対して、それを上回る必死さで反撃する点で弱点があった」とのべました。そしてその責任は常任幹部会にあるとのべました。

　常任幹部会の自己分析に対して、発言でも、感想でも、多くの同志のみなさんから、自らのとりくみについての自己分析と打開の決意が語られたことは、たいへんに心強いことでありました。

　ただ、私がのべておきたいのは、幹部会報告でのべたその他の二つの反省点、つまり、第二の反省点――「早い段階、公示日までに党躍進の力強い流れをつくりだすことができなかった」、第三の反省点――「積極的支持者を増やし、党の自力をつけるという４年前の総選挙の教訓を生かしきれなかった」という反省点、さらに中間地方選挙の後退についても、党

機関体制の弱さについても、中央自身のとりくみが十分だったと私たちが考えているわけではないということです。また、中央として、弱点を打開するための基本的方向については、全党の実践に学んで幹部会報告で明らかにしましたが、率直に言って、打開のための答えをすべて持っているわけではありません。

幹部会、常任幹部会として、全国の同志のみなさんと一体になって、これらの弱点を打開するとりくみをどうやって成功させるかについて、ともに学びあい、ともに探求し、ともに前途を切り開き、ともに開拓していく――こういう基本的姿勢に立って奮闘していきたい、このことを表明したいと思います。

参議院選挙の方針にかかわって

「方針が実際にやれるか」――討論を通じて条件と可能性が明らかになった

参議院選挙の方針にかかわってのべます。

幹部会報告で提起した参議院選挙の目標と方針は、発言でも、感想でも、全体として、きわめて積極的に受け止められ、実践への強い決意が語られました。

同時に、発言の中で「実際にやれるだろうか」という率直な声も出されました。「自力をつける自力がない」という声も出されました。

ただ、私は、討論の全体を通じて、方針をやり抜く条件はある、可能性はある、ということも明らかになったのではないかと思います。今日の午後の討論で、三重の大嶽県委員長は、率直に次のように発言しました。

「自力づくりへの確信がなかなか持てていません。自力づくりはどうすればできるのかを全党の確信にすることが大事ではないか、ということを発言原稿として考えましたが、午前中の発言を聞いたら、結構多くの発言者が言っているではないか、世代的継承もやっているではないか、と思いました。しかしそれを全党が知っているのか。私自身も今日の発言を聞いてビックリしました。圧巻でした。これはもったいない。今回の発言集をつくるなどしてほしい」

この総会での豊かな発言の中身は、全党にしっかり返していくようにしたいと考えています。

このように、討論を通じて、確かな方向が見えてきた。「実際にやれるだろうか」――この「やれるだろうか」という不安は最終的には実践の中で切り開いてゆくしかないのですが――、しかし「やれる」条件はある、可能性はある、このことを示すたいへん重要な討論になったのではないでしょうか。

野党共闘に真剣にとりくんできたことが、新しい信頼・共感・期待を広げている

やり抜く展望をどこに求めるか。討論をふまえて、結語では二

つの点をのべたいと思います。

第一は、党と国民との関係に、党が前進できる新たな条件が生まれていることです。そのことが、討論でも豊かに明らかにされました。

多くの発言で、わが党が、ブレずに、誠実に、共闘にとりくんできたことが、これまでにない多くの方々に共感と支持を広げていることが語られました。

京都の渡辺府委員長は、比例代表で得票を伸ばしたことについて、次のようにのべました。

「この6年間、ブレずに、誠実に、野党共闘に努力をしてきました。このことが多くの新しい仲間との共同を広げた結果、比例代表で共産党を伸ばさなければならない、という市民的な空気をある程度つくりだすことができたと確信しています」

「市民的な空気」をつくりだした。伝統産業を営む保守の方が、あるいは無党派の女性議員からも、「比例は共産党」という声が広がったことが報告されました。

徳島の上村県委員長は、比例代表で伸ばしたことについて、「市民と野党の共闘を実現するために、ブレずに、誠実に、努力を続けてきたことへの信頼が力になった」と発言しました。

福井の南県委員長は、比例代表で伸ばしたことについて、「金元幸枝比例候補は、31年間、候補者活動をずっと積み重ねてきて、党への信頼・支持を県民の中に広げてきました。それだけに金元候補が1区から出ないと発表したときには、悲しむ声もたくさん聞かれました。それが共闘の大義のためだとわかったときには、『さすが共産党、金元さんだ』と、支持の声にぐっと変わっていった」と発言しました。

この6年余、私たちが、共闘に真剣にとりくんできたことが、国民の中に、新しい信頼、新しい共感、新しい期待を広げている。ここは確かなものがあると思います。ここは深い確信をもって進みたいと思います。

気候危機、ジェンダー――これまで全く接点のなかった広い方々に期待と支持が広がる

もう一つは、日本共産党が、気候危機打開やジェンダー平等に真剣にとりくむなかで、これまでわが党とは全く接点のなかった広い方々に、わが党への注目、期待、支持の流れが広がっているということです。

神奈川の田母神県委員長は、気候危機打開のとりくみの中で起こっている変化を報告しました。

「横須賀市の大学生の女性で、横須賀火力発電所建設に反対する運動をしている方に、気候危機打開のオンライントークに参加してもらいました。党とは全く接点がなかった方ですが、このとりくみを通じて、気候危機は政治の問題だとわかり、『比例は共産党』と意思表示し、日曜版にも登場してくれました」

気候危機に強い危機感をもちながらも、この問題と政治がつながっていなかった若者に、そのつながりがわかったときに、変化が起こったという報告でした。

茨城の江尻県議からも気候危機打開のとりくみを通じての変化が語られました。中小企業の社長さんから、わが党の「気候危機打開の２０３０戦略」について、「拝読しました。気候危機打開にとりくんでいる研究者や活動家の主張がもれなく入った、素晴らしい内容です」という感想が寄せられたことが報告されました。

愛知の須山参議院選挙区候補は、ジェンダー平等を掲げた選挙で変化を感じたこと、ＬＧＢＴＱ

など、当事者の方々との新たなつながりが広がったことをのべ、「綱領にジェンダー平等を掲げ、その実現にとりくむ党の真剣さを当事者の方が受け止めてくれたことを、とてもうれしく感じました」と語りました。

ですから私たちが、暮らしや平和の問題とともに、気候危機とジェンダーという新しい問題に真剣にとりくんできた。そのことが、これまで全く党との接点のなかった新しい方々と党の出会いをつくり、期待を広げ、支持を広げている。こういう状況が間違いなく生まれつつあると思います。

416万票をどうみるか――新たに投票した人、投票に至らなかったが期待している人も

こうして見ますと、私は、わが党が比例代表で獲得した４１６万票をどう見るか、これはとても大事だと思います。

たしかに後退させたことは、たいへんに残念です。しかし４１６万人の中には、この間のわが党の活動ぶりを、市民と野党の共闘という面でも、気候危機やジェンダーなどの政策という面でも知って、わが党の値打ちを発見・評価し、新たに投じてくれた方も少なくなかっただろうと思います。

また、今回は、支配勢力の攻撃によって投票まではいたらなかったけれども、日本共産党に期待をもっている、関心をもっている、視野に入っている、そういう方々が４１６万人のまわりにはたくさんいらっしゃることも疑いないのではないでしょうか。

そういう状況をみんなの力でつくってきた、ということにもぜひ確信をもって、これまで声が届いていなかった広い方々に対しても働きかけを行い、参議院選挙の躍進に挑戦しようではありませんか。

わが党は前進する力を持っている――「世代的継承の強烈な意欲がみなぎっている」

第二は、わが党は前進する主体的力を持っている、ということであります。

総会では、世代的継承について、これまでにない突っ込んだ議論が行われました。幹部会報告で提起した方向が、率直な討論で豊かにされ、深められました。「重要なことはわかるけど、できるだろうか」という声に対する一つの答えが、総会の討論で出たのではないかと思います。

東京の田川青年・学生部長は、「地区委員長をはじめ、今、党の中に世代的継承の強烈な意欲がみなぎっています」とのべるとともに、「党と若い世代との関係が大きく変化しています」ということを次のようにリアルに語りました。

「私は、30年以上、東京で青年・学生と一緒に選挙をやってきましたが、今回はまったく経験したことのないことの連続でした。街頭で若い世代が足を止め、『投票します』『応援しています』『〇〇さんのファンです』と話してくれます。高校生をはじめ、公然と若者が『比例は共産党』とＳＮＳなどで発信する。選挙ボランティアが広がる。ここには『反共の壁』が崩れ、日本共産党が粘り強く市民と野党の共闘を前進させ、『自公対野党共闘』の対決構図の中で、主要プレーヤーとして頑張っていることが作用しているこ

とは間違いないと思います」

「党の中に世代的継承の強烈な意欲がみなぎっています」――世代的継承が党の大きな要求になっていることを、「強烈な意欲」という表現でのべたこと、それと一体に若い世代の変化をのべたことを、たいへん印象深く聞きました。

党と民青の共同の事業として強く大きな民青同盟を――多くの発言で決意が語られた

北海道の金倉副委員長は、次のようにのべました。

「総選挙をたたかった多くの地区委員長から、世代的継承への痛切な声が寄せられました。世代的継承が必要なのはわかっているが、なかなか展望が見えない。踏み出せない。４中総は、そんな地区や支部を励まし、一緒に足を踏み出す力になります」「この間、北海道では、民青の大会までに１００人の拡大目標の達成を共同の目標として力を合わせてきました。現在の拡大数は81人であり、あと19人です。頑張ればこれまでの後退分を一気に取り戻すことができる到達を築いています。この歴史的到達は、民青拡大を、党と民青との共同の事業としてとりくんできた結果です。その最大のとりくみとなったのが、学生食料支援です。この活動は、党活動の質を変えました。この共同のとりくみを重ねることで、『世代的継承は可能だ』という自信が広がりつつあります」

総会の中で、「民青同盟の目標達成まであと○人」と、たくさんの同志が発言しました。まさに党と民青の共同の事業として、強く大きな民青同盟をつくる決意がこんなに語られた総会は、この間はなかったと思います。

いま民青同盟が、学生食料支援をはじめとして、若い世代の願いにこたえるさまざまな運動にとりくみ、さらに、格差問題、学費や奨学金の問題、気候危機問題、ジェンダー問題などにもとりくむなかで、仲間を増やし、元気いっぱい新しい前進を開始しつつある。まさにいま、私たちが、民青同盟のみなさんと一体となって、党と民青の共同の事業として強く大きな民青同盟をつくり、若い世代が社会進歩の事業に参加する大きな流れをつくっていく、そういうチャンスが来ているのではないでしょうか。

世代的継承のとりくみを進めるうえで「意識したい二つのこと」

そして私は、金倉同志が発言の中で、参議院選挙の躍進をめざす「３本柱の活動」のすべてに世代的継承を太くつらぬくうえで「意識したい二つのこと」として、次の強調を行ったことを、たいへん大事だと思って聞きました。

「一つは、『３本柱の活動』の中で、数字には現れない世代的継承の前進面や変化を見過ごさずにとらえること。数追いでは世代的継承の努力のすべてはわかりません。一人のお礼対話の中や、一人の読者対話の中に、世代的継承の可能性や変化はないかをしっかりとらえる指導・援助を強めたい。

もう一つは、世代的継承を、一部の専門部や担当者まかせにせず、あらゆる活動の中に位置づけ、全党の総力をあげたとりくみにすることです」

数字には現れない前進と変化の芽をとらえる、そして専門部・担当者まかせにせず全党の総力をあげたとりくみにする。とても大切な指摘です。

幹部会報告では、「党員拡大にとりくもう。その中で世代的継承を位置づけよう」という提起の仕方にしていません。これは報告案を検討した幹部会の議論を踏まえたものですが、「世代的継承を中軸にすえて党員拡大を前進させよう」という訴えにしました。世代的継承を、党建設の根幹である党員拡大のまさに〝中軸〟にすえて、党の総力をあげて前進させよう、こういう訴えをしています。

金倉同志の述べた二つの強調点は、ぜひ、全党のものにしようではありませんか。

新しい同志を迎えることとともに、現に党の中にある力を生かす

京都の地坂書記長、大阪の能勢・世代的継承委員会責任者からは、真ん中世代の同志たちの活動を支援するとりくみが報告されました。

「いま、党の中には、志を持ちながらも、仕事や子育てに忙殺されて力を発揮できない党員がたくさんいます。ここにさらに力を注げば、党の力を強める大きな条件があります」

こういう発言でした。

世代的継承という場合、青年・学生に党に入ってもらう、新しい党員を増やす、ということと同時に、現に党の中にある力を生かすことが大切です。わが党は、たくさんの力を持っています。真ん中世代でも持っています。職場にも力はあります。若い世代も前進がはじまりました。この力を、まだ発揮されていない潜在的な力も含めて、ほんとうに、残らずくみ上げて、ベテランの同志も含めみんなで力を合わせてとりくめば、私たちは世代的継承を実現する力を持っている。

ぜひここは、自信をもって頑張ろうではないか、ということを訴えたいと思います。

「3本柱の活動」——どれも現場の経験に学んで提案したもの

そしてここで強調したいのは、幹部会報告で提案した参議院選挙躍進をめざす「3本柱の活動」は、どれも総選挙のたたかいで全党のみなさんの奮闘によってつくられた経験と教訓を踏まえてまとめあげたものだということです。私たちが頭の中で考えた方針ではありません。全党の知恵でつくった方針だということです。

たとえば、「折り入って作戦」は、この間の都議選と総選挙で、全党の努力で大きく発展させられた活動です。

それから、幹部会報告では、世代的継承の方針を、若い世代での民青同盟と党づくり、労働者のなかでの活動と組織の前進、そして真ん中世代での活動と組織の前進、この三つの角度から提案しましたが、このどれもが全党の奮闘でつくられた経験、まだ芽の段階のものも多いのですけれども、現場の経験に学んで提案したものです。まだ芽の段階のものも多い。しかし、みんなで育てれば、必ず大きな木になる。そういうものとして現場の経験に学んで、私たちは提案をいたしました。

そういう生きた方針としてぜひつかんでいただきたいし、この方向にそって、中央と全国が一体になって、前進の方途を探求し、見つけ出し、大きな未来ある流れをつくっていきたい。そのことを心から訴えたいと思います。

発言・文書発言で出された要望について

発言や文書発言で多くの要望が出されました。一つひとつについて、常任幹部会の責任で検討し、今後の活動に生かすことをお約束したいと思います。三つの点について、結語ではのべておきたいと思います。

第一は、「核兵器禁止条約に参加するたたかいを位置づけてほしい」という要望です。これは、「四つのチェンジ」でも太い柱に位置づけたものですが、４中総の決定としてもたたかいを推進することを確認したいと思います。とくにこの間、ＮＡＴＯ（北大西洋条約機構）加盟国から、ノルウェーに続いてドイツも、来年３月の核兵器禁止条約の締約国会議へのオブザーバー参加を決めるもとで、オブザーバー参加すら拒否している日本政府の逆行が際立つ状況が生まれています。核兵器禁止条約へのすみやかな署名、批准を求める運動を、さらに大きく広げていこうではありませんか。

第二に、「『自由と民主主義の宣言』のような文書をつくってほしい」という要望が寄せられました。かつての「宣言」についていいますと、これは１９７６年の第13回臨時党大会で採択され、その後、補正が行われてきたものですが、これは、２００４年の綱領改定前の綱領の理論に立脚しており、改定後の綱領では、「自由」についての理解を大きく発展させました。自由と民主主義の諸制度にとどまらず、「人間の自由で全面的な発展」――ここに科学的社会主義の「自由」論の核心的な内容を見いだしたのが改定後の綱領です。ですから、かつての「宣言」の補正・改定という形ではあわないという問題があります。昨年の一部改定も含めた現綱領の全体が、自由についてのわが党の立場を全面的に表明するものになっていると思います。ただ、発言された同志の意図は、自由や民主主義について、国民にわかりやすい資材がほしいというものだったと思います。そうした資材はつくっていきたいということをお約束したいと思います。

第三は、「『第１次折り入って作戦』はすぐに始めなければならないので、資材をつくってほしい」という要望です。この運動に必要な資材はいまつくっております。できるだけ早くお届けできるようにしたいと思いますので、ぜひ活用していただくことをお願いしたいと思います。

「早く読みたい、討議したい、伝えたい」――一刻を争い４中総決定を全党のものに

最後に、この後、採択されるであろう４中総決定の徹底・具体化についてのべます。

発言の中で、今回の決定について、「ともに選挙をたたかった若者と４中総を早く討議したい。早

く読みたくなる、早く討議したくなる、早く伝えたくなる、これが今回の4中総だと思います。一刻も早く全支部での討議と具体化の先頭に立ちたい」、こういう発言がありました。

私も、採択されるであろう4中総決定は、「早く読みたい、早く討議したい、早く伝えたい」——そういう力をもつ決定になると確信するものであります。

一刻を争って全党のものにしようではありませんか。

率直な議論で決定を深め、ただちに実践に踏み出そうではありませんか。

4中総決定を生かして、当面する一つ一つの中間地方選挙を勝ち抜き、参議院選挙で必ず勝利・躍進を勝ち取ろうではありませんか。

以上をもって討論の結語といたします。

ともに頑張りましょう。

（「しんぶん赤旗」2021年11月30日付）

第4回中央委員会総会について

2021年11月28日

日本共産党中央委員会書記局

一、日本共産党第4回中央委員会総会は11月27、28の両日、党本部で開催され、中央委員188人、准中央委員27人が参加した。

一、総会では志位和夫幹部会委員長が幹部会報告を行った。報告は冒頭、総選挙のたたかいから総括と教訓を引き出し、7カ月後に迫った参議院選挙で勝利・躍進する方針を決定するという総会の目的を述べたうえで、総選挙がどんな選挙だったかを〝政治対決の弁証法〟の角度からとらえ、市民と野党の共闘の成果と課題、日本共産党がなぜ比例後退という残念な結果になったかを解明した。参議院選挙の二つの大目標——①市民と野党の共闘を発展させ、改憲勢力による3分の2獲得を許さず、さらに自公と補完勢力を少数に追い込み、政権交代の足掛かりをつくる、②日本共産党躍進を必ずかちとり、衆議院比例416万票を起点に反転攻勢に転ずる——を提案するとともに、岸田政権を包囲し政権交代を国民多数の声にする草の根からの要求運動、参院選勝利・躍進への3本柱の活動、中間地方選挙での反転攻勢、党機関体制の抜本的強化をよびかけ、党創立100周年を参議院選挙の躍進で祝おうと訴えた。

一、総会では66人が討論し、報告の内容を深め、具体化・実践する決意を表明した。

一、志位和夫委員長が、幹部会を代表して討論の結語を行った。

一、総会は、報告・結語を全員一致で採択した。

一、総会は、参議院選挙での勝利・躍進を必ずかちとる奮闘を誓い合って閉会した。

（「しんぶん赤旗」2021年11月29日付）